Diário de Aventuras da ELLIE

A Aluna Nova

CB131181

Diário de Aventuras da ELLIE

A Aluna Nova

ESCRITO E ILUSTRADO POR
Ruth McNally Barshaw

Ciranda Cultural

Para Brenda, Marty, Jacque e Jan.

Agradeço à comunidade de alunos, famílias, professores
e funcionários da Escola Attwood, por me deixarem
observá-los e desenhá-los no trabalho e nas horas de lazer. Agradeço ao Peter
Catalanotto por me deixar imitar
um pouco o seu trabalho na página 160.

Dados Internacionais de Catalogação na Publicação (CIP)
(Câmara Brasileira do Livro, SP, Brasil)

Barshaw, Ruth McNally
Diário de aventuras da Ellie : a aluna nova / escrito e ilustrado por Ruth McNally Barshaw ; [tradução Ciranda Cultural]. -- São Paulo : Ciranda Cultural, 2014.

Título original: The Ellie McDoodle diaries : new kid in school.
ISBN 978-85-380-5527-3

1. Contos - Literatura juvenil I. Título.

13-12417 CDD-028.5

Índices para catálogo sistemático:
1. Contos : Literatura juvenil 028.5

© 2008 Ruth McNally Barshaw
Publicado pela primeira vez nos Estados Unidos
em julho de 2008 por Bloomsbury Children's Books.
Ilustrações de capa © 2013 Ruth McNally Barshaw
Design de capa: Yelena Safronova

© 2014 desta edição:
Ciranda Cultural Editora e Distribuidora Ltda.

1ª Edição em 2014
8ª Impressão em 2021
www.cirandacultural.com.br
Todos os direitos reservados. Nenhuma parte desta publicação
pode ser reproduzida, arquivada em sistema de busca ou transmitida por
qualquer meio, seja ele eletrônico, fotocópia, gravação ou outros,
sem prévia autorização do detentor dos direitos, e não pode circular
encadernada ou encapada de maneira distinta daquela em que
foi publicada, ou sem que as mesmas condições sejam impostas
aos compradores subsequentes.

Fim.

Sério. Esse é o fim. Estou fazendo esse diário novo pra acompanhar a mudança da minha família pra uma casa nova (cidade nova, escola nova, tudo novo). Não vou precisar acompanhar muita coisa, porque esse vai ser o FIM de tudo o que é bom.

Ofélia, comendo cereal

Minha casa: já era.

A gente vai se mudar, e eu acho que nunca mais vou ver minha casa.

Adeus, quarto.

As nuvens que eu e minha mãe pintamos quando eu tinha 4 anos

Adeus, árvore de passarinhos.

Adeus, trevos de quatro folhas.

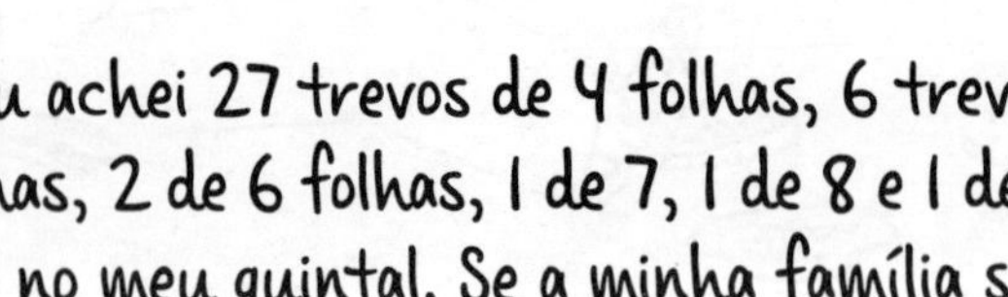

Eu achei 27 trevos de 4 folhas, 6 trevos de 5 folhas, 2 de 6 folhas, 1 de 7, 1 de 8 e 1 de 9 folhas, todos no meu quintal. Se a minha família se mudar, nossa sorte vai ficar aqui, sem a gente.

Adeus, porão.

Meu pai colocava músicas antigas para tocar e dançava comigo, com a Lisa e a minha mãe. Quem vai dançar no porão quando a gente for embora?

Meu pai me inclinando. Eu gritava e ria.

Adeus, quartinho de brinquedos do sótão.

Quando a gente era criança, minha prima Diana derrubou uma bonequinha na grade do aquecedor e a gente nunca conseguiu tirar de lá.

Ainda está lá!

São essas coisas que fazem dessa casa a MINHA casa. A gente não pode se mudar. Não podemos abandonar essas coisas especiais! Mas vamos. Já está tudo à venda. Minhas memórias, a minha vida inteira vai ser vendida pra quem pagar mais.

Eu não queria acreditar que a gente estava mesmo se mudando, mas tudo indicava que sim: Minha mãe estava nervosa...

... A sala estava cheia de pilhas de caixas. Minha mãe já teve ideias de decoração melhores que essa.

A mãe disse que você pode escolher o jantar: cereal ou sanduíche. As outras coisas já estão nas caixas.
Quero um sanduíche de atum.
Amanhã você vai poder comer atum na casa nova. Hoje, você vai comer manteiga de amendoim.
Carácolis.
O Josh e o papai também já foram mais alegres.
Só o Ben-Ben, o macaquinho, estava contente. Pra ele, isso era uma grande aventura.

Então, é isso.

A última noite na nossa casa.

Eu empacotei toda a minha existência em um monte de caixas de papelão.

Meu rosto triste na caixa, pra mostrar que ela vai pro meu futuro quarto da depressão.

Dia da Mudança.

Meus amigos vieram me ver. Eu tentei segurar o choro.

O grupo acabou de vez. A gente decidiu criar um diário coletivo. Uma pessoa vai ficar com ele por uma semana e escrever ou desenhar nele. Depois, ela passa pra próxima pessoa. Eu vou ficar com ele na primeira semana.

De repente, minha família disse que era hora de ir embora.

Parecia que a gente estava indo mais rápido do que deveria.

Passamos pela avenida principal. Logo em seguida, já estávamos na estrada. Deixamos pra trás tudo o que é importante: amigos, casa, sanidade. Por dentro, eu só queria gritar e voltar pra casa. Talvez a Lisa estivesse certa e a tristeza fosse acabar. Sei lá, nunca me senti tão perdida. Tudo estava indo por água abaixo, ou melhor, montanha abaixo.

Vinte minutos na estrada:

O diesel do caminhão estava me deixando enjoada. Fiquei com um nó no estômago e parecia que eu tinha engolido uma bola de golfe. Eu precisava fazer alguma coisa ou eu ia chorar de novo. Ou pior.

Resolvi escrever no diário coletivo, como se fosse meu funeral.

Minha herança para o nosso grupo:

Pra Ana, eu deixo meu nome, Ellie Rabisco, porque ela sempre me incentivou a desenhar.
Pra Natasha, deixo a minha felicidade.
Pro Téo, deixo meu senso de humor.
Pra Kiki, deixo meu sorriso.
Pro Alex, deixo minha gargalhada.
Pra Aline, deixo minhas piadas.

Não vou mais precisar de nada disso.

Achei essa folha perto da minha casa.

Adeus, casa e vizinhança.

A viagem até a casa nova demorou duas horas e eu não vi nada de interessante. Só a traseira de um caminhão em movimento.

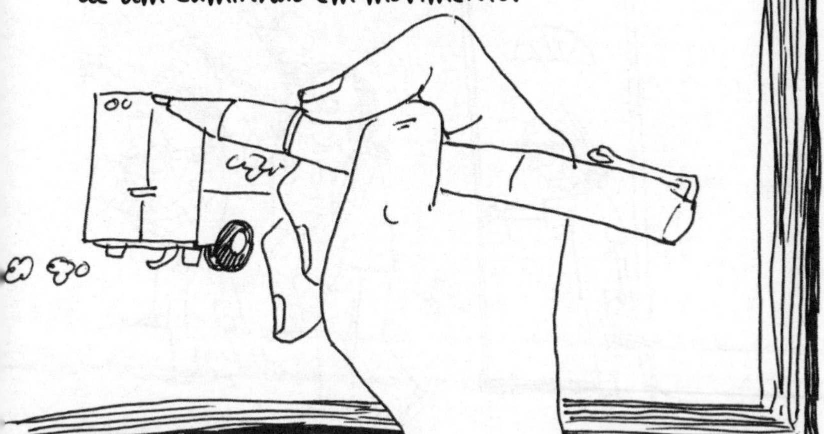

Aí está.

A casa nova.

O quintal é cheio de árvores, mas não tem balanços e eu também não vi nenhum trevo de quatro folhas.

Parece que as escadas vão quebrar.

Vai entender!

Nada convidativo.

Tudo vazio.

A minha voz foi de uma parede até a outra, igual ao Ben-Ben quando come açúcar.

Nada de ficar sentada. Era hora de ajudar a carregar as coisas.

Eu estava começando a me divertir, mas lembrei que não queria morar aqui e que todos os meus amigos estavam bem longe.

Tenho que dividir o quarto com a Lisa. Minha mãe disse que ela vai pra faculdade daqui a um ano e o quarto vai ficar só pra mim. Mas, na verdade, a Lisa quer que eu divida o quarto com o Ben-Ben!

(Eu desenhei nas minhas caixas pra saber o que guardei em cada uma.)

Eu sou um mero peão que se move de acordo com a vontade dos jogadores.

Quando eu era pequena, eu costumava chorar até dormir, porque isso fazia eu me sentir bem. Que estranho.

Mas eu não podia fazer isso aqui. A Lisa ia rir da minha cara, ou a minha mãe ia mandar eu fazer alguma coisa.

Enfim, eu já chorei e não adiantou nada. A minha garganta estava doendo, meu nariz entupiu e eu não conseguia respirar.

Era isso: eu estava morrendo sufocada. Eu precisava sair um pouco.

Meu pai e minha mãe tinham ido devolver os caminhões de mudança. Era minha chance de escapar.

O céu estava cinza. Ventava muito. Dava pra ouvir o barulho das folhas. Ouvi um cachorro latindo (parecia um cachorro grande). Senti cheiro de chuva.

E atrás daquela montanha?

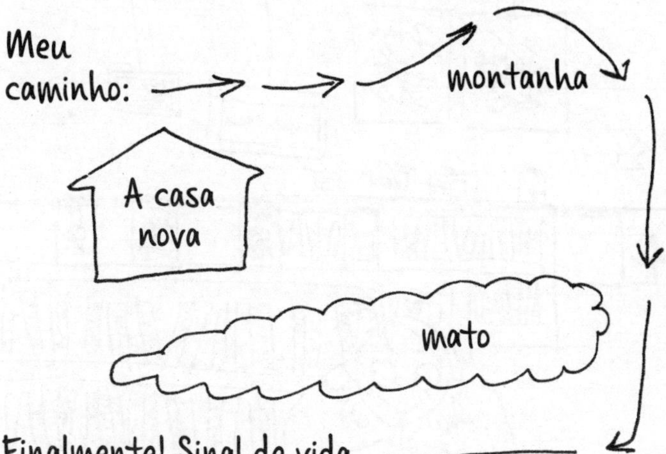

Finalmente! Sinal de vida.
Uma biblioteca.

O lugar era enorme!
Os livros infantis estavam no andar de cima.
Até aí, tudo bem...

Achei os meus livros preferidos e sentei num lugar confortável. Não era silencioso demais nem barulhento demais. Eu tinha muita coisa pra ver. E MILHARES de livros. Eu moraria aqui se pudesse.

Peraí!

Então, a gente conversou sobre os últimos livros que eu havia lido.

Enfim, um plano. Ler e ignorar a vida ao meu redor! Algumas crianças ali pareciam ter a minha idade, mas estavam ocupadas conversando e eu não me importei nem um pouco em ficar ali sozinha, lendo. A senhora Claire falou pra eu ficar à vontade, e eu fiquei.

A senhora Claire fez algumas sugestões de livros novos pra mim. Eu até ganhei um cartão da biblioteca! (Eu não sabia meu endereço, mas ela disse que eu podia levar alguns livros e dar o endereço pra ela depois.)

Eu peguei cinco livros que pareciam combinar com a minha nova vida:

1) Um menino se perde na mata selvagem no Canadá e precisa sobreviver sozinho.

    Minha vida: uma menina está presa em um lugar selvagem e estranho e precisa sobreviver só com sua inteligência (e livros).

2) Um menino com superpoderes precisa enfrentar o mal.

    Minha vida: uma menina SEM superpoderes precisa enfrentar o mal.

3) Uma menina nova na escola é odiada por todos até começarem os ensaios da peça de teatro.

    Minha vida: hum... espero que isso não aconteça comigo. Sou uma péssima atriz!

4) Uma menina perde um objeto importante e morre; mesmo depois de morrer, ela precisa encontrar o objeto.

    Minha vida: estou perdida e sinto que morri. Carácolis.

5) Uma menina observa tudo ao seu redor e escreve um diário sobre suas infelicidades.

    Minha vida: hum... é.

Hora do jantar; melhor eu ir.

A minha mãe insistiu que a gente jantasse junto como uma família. Geralmente, brincamos de charadas. O Josh estava muito criativo.

Respostas para as perguntas do Josh:

A. Eles têm o mesmo peso.
B. A toalha.
C. O guarda-chuva.
D. Porque matou a sede.
E. Sobreviventes não são enterrados.

* Meu pai é técnico. Ele usa gírias de esportes o tempo todo.

Motivos pra eu não gostar de ficar aqui:
(Por onde começo?)

1) Tenho que dividir o quarto com a Lisa. Ela vive me falando pra sair da frente dela, mesmo passando um tempão no banheiro. Por que ela simplesmente não dorme lá?
2) Não tenho amigos. Exceto, talvez, a senhora Claire.
3) Eu não conheço mais nada direito.
4) A escola vai ser um desastre. Não, vai ser pior. Vai ser horrível. Terrível. Catastrófico. Devastador. Insuportável.

5) Não tenho privacidade!

Pra fazer a gente parar de brigar, minha mãe levou a Lisa e eu pra comprar roupas pra escola. Iupiii.

E ainda piorou...

Eu estava experimentando blusinhas e calças.
A Lisa quis entrar.

Odeio quando ela me chama de Elmo.

Odeio o fato de ela achar um monte de roupas bonitas e eu não.

Minha mãe queria comprar uma saia pra mim. Eu não gosto de saias. Pareço uma boba quando uso saia.

Por que eu não nasci mais bonita?

Por que eu tenho sardas?

Será que a Lisa me chama de Elmo porque eu pareço um menino?

Meia listrada combina com sandália?

Eu abaixei pra puxar a meia e alguém abriu a porta bem na hora.

Ai.
Meu.
DEUS.
Ouvi
risadas.

Pensei em desistir de tudo e morrer de vergonha, mas minha mãe bateu na porta.

Ellie?

Elmo!

Mas, pelo menos, sua calcinha está limpa!

Ellie, saia daí!

Elmo, ninguém viu nada. Venha.

Eu nem estava mais ligando pras roupas que a gente ia comprar. Eu só queria ir pro carro RÁPIDO.

À noite, eu não conseguia dormir.

E se as crianças que viram a minha calcinha estudassem na minha escola nova?

A Lisa disse que não era nada de mais.

Como ela podia pensar assim?

Assim que amanheceu, fui pra biblioteca. Em pouco tempo, a cidade acordou.

Tive uma ideia pra me sentir melhor.

Família à venda: façam suas ofertas!

Mostrei meu anúncio para a senhora Claire, e ela disse que gostou do meu senso de humor. Então, ela me perguntou sobre o Ben-Ben e eu contei sobre as travessuras dele. Ou melhor, eu mostrei pra ela. Ela foi bem compreensiva.

Uma vez, ele errou a mira e caiu nas minhas costas. Ai.

A travessura preferida dele? Empilhar todas as coisas do meu quarto e fazer uma torre bem alta. Agora que eu e a Lisa dividimos o quarto, ele empilha mais coisas ainda. Que bagunça! Mas eu tive uma ideia. Troquei meus livros por outros e corri pra casa.

Minha busca por um quarto novo:

O quarto ideal.
Minha mãe não deixou.

Apartamento na sala de estar? Não.

O closet no corredor? Não.

Engraçado. Não estou vendo nenhum lugar pra pendurar roupas.

O porão? Não.
Escuro, frio e
assustador demais.

Quando eu desço as escadas, eu assobio bem alto. Assim, se algum monstro me pegar, todos no andar de cima vão perceber que parei de assobiar e descer pra investigar. (Tá legal, eu sei que isso não vai acontecer, mas, no meu pesadelo, sou eu quem cria as regras.)

O sótão?

Seria perfeito!

Problemas:

1) Minha mãe acha que o sótão é sujo demais.
2) Meu pai não pode ajudar a limpar ou mudar os móveis de lugar, porque tem alguma coisa urgente no trabalho novo.
3) A Lisa de repente ficou interessada pelo sótão!

Como fazer o sótão ser uma boa ideia pra minha mãe e uma péssima ideia pra Lisa? Até o Josh apareceu pra me ver sofrer.

Eu usei absolutamente todo o drama e todos os argumentos possíveis.

Primeiro, a Lisa:

- ☑ É muito longe do banheiro.
- ☑ Limpar o sótão dá um trabalhão.
- ☑ O quarto dela é mais limpo, maior e ela poderia ter muito mais privacidade.

Depois de tudo isso, consegui convencer a Lisa a continuar no quarto que a gente dividia. Sucesso!

Então, eu disse pra minha mãe que ia me esforçar bastante pra limpar o sótão: varrer, esfregar e limpar tudo. E ela deixou! Vou poder mudar pro sótão! Meu pai disse pra eu fazer bem feito, senão... fim de jogo. Mas eu senti que ia dar certo de primeira. Eu estava quase vencendo essa batalha!

O plano
Ponto de encontro de insetos mortos.
(Tomara que eu não tenha pintado nenhum inseto morto.)

Ahhh. Esse quarto é perfeito. Nunca mais vou sair daqui.
Ellie! Eu e a Lisa precisamos da sua ajuda!

Vamos ajudar a mãe a desempacotar algumas coisas. Mão na massa!
Encontrei os Papais Noéis.
(Minha mãe coleciona Papais Noéis e deixa todos eles de enfeite o ano inteiro.)
Mais Noéis!
Opa. Vejam isso.

Mamãe Noel
Meio metro de terror disfarçado de fofura.

assustadora
esquisita
medonha
AAAHHH!
E o Josh teve uma ideia...

A gente usou a Mamãe Noel pra pregar uma peça na minha mãe.

Infelizmente, era fácil saber o que ia acontecer. Ela ficou tão brava que não conseguia nem falar uma frase inteira.

Carácolis. Ela ia explodir. Da próxima vez, ou ela vai deixar a gente de castigo ou arrumar mais coisas pra gente fazer. Pegamos as toalhas pra guardar e depois corremos cada um em uma direção. Ela não ia conseguir pegar todos nós.

Eu me escondi na biblioteca pela segunda vez hoje. Ela está virando meu lar-longe-da-casa-nova--longe-da-casa-de-verdade. Contei pra senhora Claire sobre a peça que pregamos. Ela riu e me mostrou mais um livro que ela acha que eu vou adorar.

Ela também me apresentou pra...

Glenda.

Dá pra ver que você é nova aqui. Todas as outras pessoas moram aqui desde sempre. É um lugar bom pra se morar. Até meus tataravós nasceram aqui, há mais de 100 anos! Na escola, tenho um primo de primeiro grau, dois de segundo grau, e acho que tenho outros primos que são bisnetos dos meus tios, ou algo parecido, outros são bisnetos dos meus tios-avós. Enfim...

Não consigo lembrar o que mais ela disse, porque ela não falou nada que fizesse muito sentido.

Quando eu converso com a Glenda, meu cérebro pode sair do meu corpo, pular a janela, dar uma volta no jardim, plantar uma árvore e vê-la crescer, voltar pra perto de mim, encostar na minha cabeça, voltar a prestar atenção, tudo isso sem perder nada de importante! Mas, de repente, a Glenda falou sobre... brincadeiras.

A Glenda não podia sair comigo, porque ela tinha que ir comprar coisas pra escola. Eu não quero nem pensar nisso. Preciso de amigos. Na volta pra casa, eu percebi algumas pistas.

Pista	Dedução	Tá, mas...
	Pertence a alguém com mais de 4 anos.	Poderia ser alguém mais velho.
	Isso não deve pertencer a alguém mais velho.	Ah, que beleza. Um amigo pro macaquinho.
	Também não deve ser de alguém mais velho.	Alguma criança foi muito cruel com essa boneca!
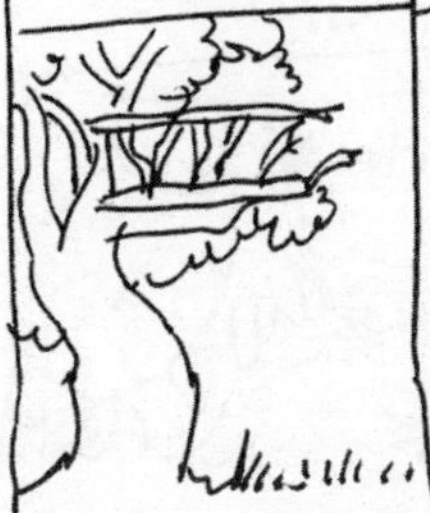	Uma casa na árvore! Eu adoro casas na árvore. Eu poderia fazer amizade com o dono dela.	O parapeito está quebrado. A criança deve ter caído dali e ido parar no hospital.
	Floresta. Uma coisa que pode ser divertida.	Está tarde. Amanhã eu volto pra ver.

Eu acordei de um sonho em que meus velhos amigos me odiavam por eu ter me mudado e feito novos amigos. Parecia tão real... e tão doloroso. A minha garganta doía. Parecia que alguém tinha ficado em cima do meu estômago a noite inteira. Estou com saudade deles. Será que eles também estão? Preciso sair daqui. O que será que vou ver nessa floresta?

Resposta:

Tirando a parte das teias de aranha, eu adorei o lugar! Vou pegar essa floresta pra MIM! Ela é minha!

Eu me senti a índia Sacagawea, explorando novas terras. Este poderia ser meu esconderijo secreto. Se um dia eu tivesse que ir pra longe de todos, eu poderia vir pra cá. Então, descobri que alguém já tinha ido pra lá.

Usei uma lata pra cavar um buraco e enterrar o lixo. De repente, senti que aquela floresta não era mais minha.

Olhei pra cima e percebi que as árvores e o céu pareciam peças de um quebra-cabeça que não se encaixavam direito.

Engraçado, era assim que eu me sentia: como se eu não me encaixasse. Eu gosto da biblioteca e da senhora Claire. A Glenda é legal. A floresta é legal. Mas eu tenho pavor da escola. Estou com saudade dos meus amigos. Não quero fazer novos amigos. Dá muito trabalho.

Eu andei
um pouco
e achei o lugar
perfeito pra
almoçar.

Um rio, uma ponte
feita com um tronco
de árvore, uma
cachoeira pequena,
um jabuti, zilhões
de pedras lindas,
alguns fósseis.
Perfeito,
exceto...

Que ótimo. Um menino.

#1 Eu não gosto de ser chamada de aluna nova, mesmo que seja verdade.

#2 Eu não gosto que fiquem me espionando. De que outro jeito ele saberia que eu sou nova aqui?

#3 Não é mais a casa dos Sweeney. Eu não sinto que ela seja nossa mesmo, mas com certeza a casa não é deles.

Ele me ofereceu metade de uma barrinha de cereal e eu aceitei, porque estava com fome. A gente conversou.

Ele mora do outro lado do quarteirão. E, como todos os outros moradores, ele nasceu aqui. Ele tem três irmãs. Gosta de coisas britânicas (ele foi pra Londres há algumas semanas) e de desenhar (eu também!).

Eu falei pra ele que sentia falta da minha antiga casa e dos meus amigos, porque eles são os melhores do mundo. Mas acho que nunca mais vou ver nenhum deles e eles vão me esquecer. Minha garganta começou a doer de novo, então eu parei de falar. Eu meio que esperava que ele me dissesse que eu ia fazer novos amigos e que esse lugar era melhor que a minha antiga casa. Mas ele não disse.

Ele só disse que a vida continua, eu querendo ou não. E foi isso. O mundo continua girando, não importa o quanto você esteja infeliz.

Eu estava com fome, não queria ir embora e tinha comida na mochila. Então, eu dividi com ele. Ele me falou de Londres.

"Mind the gap." Está escrito em camisetas, placas, chapéus, canecas, *mouse pads*, em tudo. Significa "cuidado com o vão entre o trem e a plataforma".

Eles também têm estátuas vivas: pessoas com o corpo inteiro pintado de cinza, até o cabelo, e elas ficam imóveis. É um teatro de rua!

Eles têm palavras diferentes pra coisas comuns e chatas, que ficam com um som mais interessante. Como a palavra *queue* (que se pronuncia "quiu"), que significa fila.

Eu queria que minha família tivesse se mudado pra Londres, não pra cá.

Depois de um tempo, decidimos voltar pra casa.

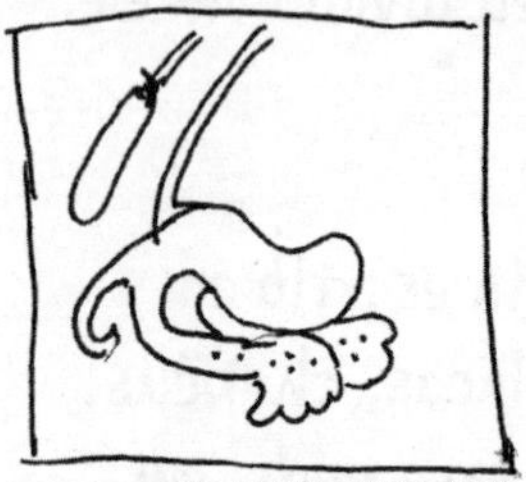

No caminho, ele me mostrou a planta mais estranha que eu já vi: o beijo-de-frade. É linda, com manchas amarelo-alaranjadas e marrom-avermelhadas.

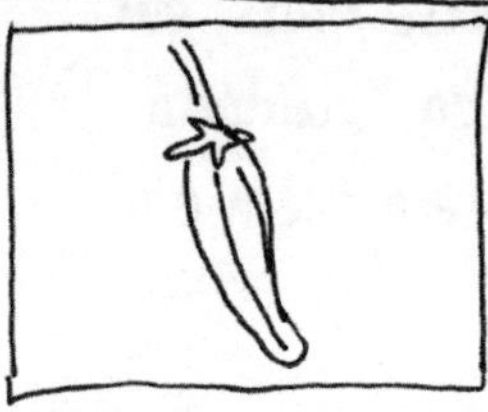

Se você encostar no fruto do beijo-de-frade,

ele se descasca como uma banana e lança uma semente!

E todas as partes dele se enrolam. É muito engraçado. Fizemos várias vezes: encostamos no fruto, vimos as sementes arremessadas e rimos bastante.

Eu encarei isso como um desafio. Eu precisava encontrar algo legal pra mostrar pro Travis. Na saída da floresta, eu vi um bicho-pau em cima de um tronco. Eu já tinha visto alguns desses no acampamento.

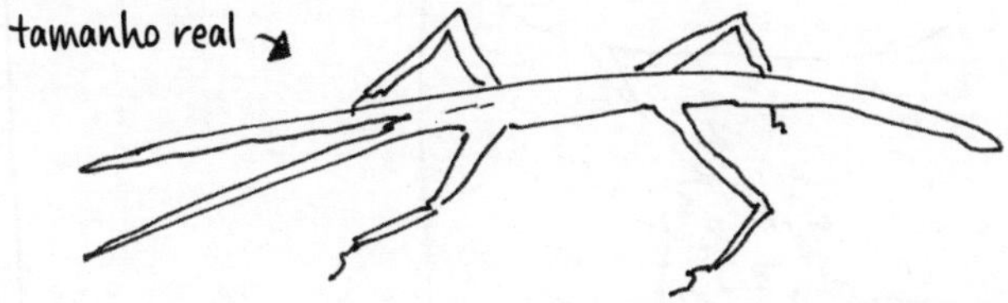

Eles parecem pequenos galhos de árvore que andam (beeem devagar). Eu peguei o bichinho e coloquei no braço do Travis.

Mas era bom demais pra ser verdade. A gente tinha que ir embora.

De volta pra minha casa, lembrei da crueldade da vida...

Bagunça em progresso, que eu tive que limpar depois.

Eu contei pros meus pais sobre a brincadeira de esconde-esconde de hoje, mas minha mãe não queria que eu saísse, porque já estava escurecendo (mas, mãe, a gente só queria brincar nesse horário porque estaria escuro!) e as aulas começam amanhã. Ela achava que eu precisava dormir mais ou algo do tipo. Grrr. Por sorte, meu pai e o Josh sugeriram algo que salvou meus planos:

#1 Arrumar todas as coisas da escola primeiro (tá bom).

#2 O Josh vai comigo.

#3 Eu prometo correr muito e ficar exausta, pra ficar mais fácil dormir hoje.

Os dois novos amigos do Josh, Izzy e Doof, foram com a gente. Por que será que meninos fazem amizade tão rápido? Existe alguma língua universal masculina que faz isso acontecer?

Nossa, valeu, Glenda.

O lugar estava cheio de crianças.

Todos se apresentaram muito rápido, mas eu não lembro de quase nenhum nome. Izzy foi escolhido pra começar a brincadeira.

Como brincar:

Uma pessoa cobre os olhos e conta até 30 enquanto todas as outras se escondem. Ela tenta pegar as outras. A última pessoa que for pega começa a próxima rodada. Quem chegar até a árvore antes de ser pego está salvo.

Basicamente, eu fiquei correndo de um lado para o outro entre um esconderijo nada criativo e a árvore.

Ninguém ia se importar em me procurar ou seguir. Eu até pensei em correr mais devagar pra que alguém me pegasse e eu começasse a próxima rodada. Pelo menos assim alguém perceberia a minha existência. Mas eu estava em desvantagem. Eu não conhecia a área nem os melhores esconderijos, então eu ficaria procurando a noite inteira.

Chegou a hora de ir embora.

Eu já me diverti mais em um funeral.
De volta ao meu quarto, fiz uma lista.

Meus amigos:

- ☑ Senhora Claire
- ☑ Ofélia (ratos contam?)
- ☑ Glenda
- ☑ Travis
- ☐ Hum...
- ☐
- ☐

Onze horas da noite.

Duas horas da manhã.

Acho que vou dormir na sala de aula.

Bom, então vou aproveitar o tempo livre...

O que eu quero da escola:

- Amizades rápidas e fáceis.
- Professores legais e inteligentes que sejam engraçados. Bônus: bonitões.
- Nada de acontecimentos constrangedores.
- Almoços gostosos.
- Nada de aula de dança.
- Muitos esportes e brincadeiras acadêmicas.
- Nada de filmes, palestras ou testes que me deixem com sono. (Rá! Isso seria útil pra mim agora!)
- Nada de coisas de menininha: roupas extravagantes, namoradinhos, um monte de coisas cor-de-rosa. Só quero coisas normais: livros, experimentos legais, arte, música, passeios.

Acho que isso abrange qualquer problema possível. Se eu esperar coisas boas, acontecerão coisas boas, não é mesmo? Boa noite.

O grande dia.

Meu pai falou umas besteiras no café da manhã.

O Josh colocou meu dinheiro do almoço em um copo de água de ponta-cabeça. Eu tentei tirar, molhei a minha camiseta e tive que me trocar. Grrr.

Minha mãe sempre tira uma foto no primeiro dia de aula:

O que a gente queria mesmo era ir pra nossa escola antiga.

Meus pais subornaram a Lisa com aulas de canto (o melhor professor de música do estado dá aula na escola nova da Lisa). Então, ela não liga de morar aqui.

O Josh ainda conversa com os velhos amigos dele pela internet. Além disso, ele já ficou amigo do Izzy e do Doof, então pra ele também está tudo bem.

Eu? Eu não tenho NADA.

A Câmara de Tortura:

#1 Respirar fundo.

#2 Esperar coisas boas.

#3 Dar um passo de cada vez.

Um daqueles grupos será o grupo certo pra mim.

O sinal tocou.

As portas se abriram e todos começaram a esbarrar uns nos outros, batendo nas paredes, tentando fazer uma fila muito desorganizada. A gente passou pelos professores na porta e, de repente, aquilo não era mais uma fila. Era o caos. Tudo o que sei é que tenho aula na sala 23, no andar de cima. Eu mirei a escada e me tornei parte de uma centopeia com zilhões de pés, subindo a escada sem pensar. Tudo o que eu pensava era "não caia, não caia, não caia".

E o barulho era muito, muito alto.

Por cima da multidão, eu vi uma janela no alto da parede, na minha frente. Mirei a janela. A multidão virou no corredor, mas eu fiquei olhando aquela parede por um minuto, pensando se minhas coisas tinham sobrevivido ao surto:

Minha mochila ainda estava nas minhas costas.
Meus tênis ainda estavam nos meus pés.
Minha cabeça ainda estava grudada no pescoço.
Eu estava bem.

Respirei fundo e mergulhei na multidão-centopeia, que me levou pelos corredores, até eu achar a sala 23... e a Glenda!

Claro. Todos, menos EU.

Em vez de brigar com a Glenda, eu pendurei minha mochila no cabideiro de parede do corredor (qualquer escola decente teria armários).

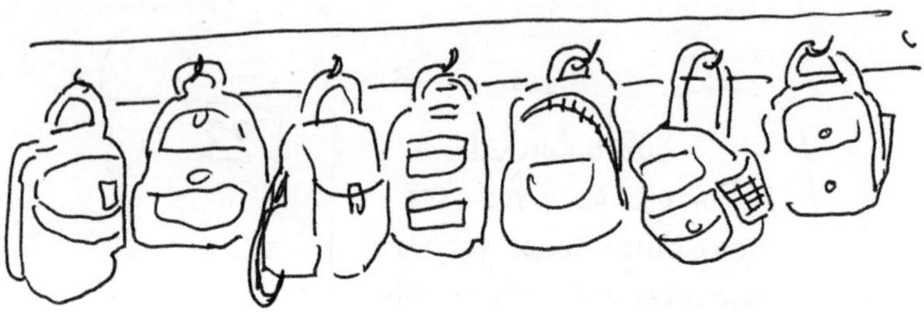

Ela foi pra aula dela, na sala ao lado. Eu fiquei lá com cara de boba. Todas as meninas estavam de vestido!

Ainda bem que o sinal tocou.

Eu sentei no fundo pra poder ver tudo. A professora mandou a gente ir pra frente pra ocupar as carteiras vazias, mas a minha fileira estava cheia. Conclusão: eu era a única pessoa no fundo da sala.

A professora Whittam chama todos os alunos pelo nome. Ela me chamou de Eleonor Rapisco. Eu tentei corrigir, mas acho que ela não escutou, porque ela respondeu "Tá bom, Ella".

A professora Whittam explicou os procedimentos importantes que a gente vai fazer todo dia:

- Encontrar nosso nome na lata,

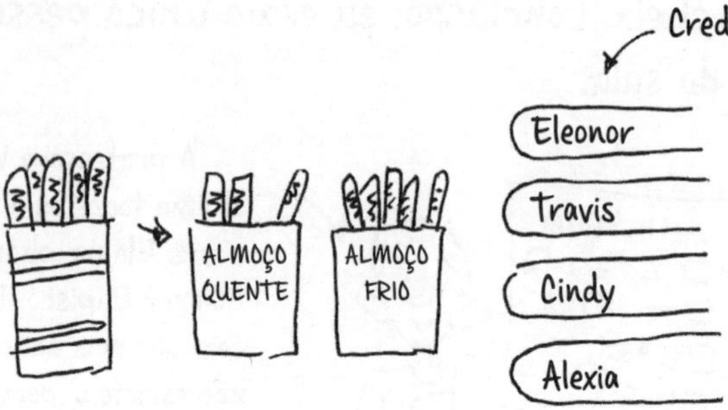

- Ver se ela passou a lição de casa na lousa,
- Apontar os lápis antes de o sinal tocar, e
- Fazer o juramento à bandeira e o juramento escolar.

Eu não sabia de cor.

Eu me sentia uma boba.

E agora, todos achavam que meu nome era Ella. Aaahhh!

Eu odeio essa escola.
Eu odeio essa escola.
Eu odeio essa escola.

Sentar no fundo é péssimo. Não dá pra ver a cara de ninguém. Não sei o nome de ninguém. É assim que eu vejo os outros alunos:

Chegou a hora do almoço. A gente ainda estava na fila pra pegar comida quando o sinal de cinco minutos tocou. Então, a gente teve dez segundos pra comer E sair pro recreio antes de voltar pra aula.

Ah, sobre a comida (se é que dá pra chamar de comida):

Recreio:

Pfff. Claro.
Não, obrigada.

À tarde, fui pra aula do professor Brendall.

De manhã, Leitura, Redação, História e Educação Moral e Cívica com a professora Whittam. À tarde, Ciências, Matemática e Geografia com o professor Brendall.

Na aula do professor Brendall, eu sentei na primeira fileira. Mas o resultado foi o mesmo: não consegui ver ninguém! Carácolis! Mas, de repente, um milagre.

Enfim, apesar de todas as meninas estarem de vestido, menos eu, e todos terem ouvido meu nome errado, menos o Travis e a Glenda, havia uma chance de tudo dar certo!

Então, o professor Brendall fez a chamada:

Que beleza.

Tenho um novo nome: Ellie Rabicho. Eles são tão espertos. O professor Brendall pediu pra eles pararem, mas todos sabemos que eles vão me chamar assim até depois que eu morrer.

Como eu estava sentada na frente, era difícil desenhar. E eu fiquei com medo de que o professor Brendall confiscasse meu diário. Tive que esconder bem.

Na minha antiga escola, os professores me deixavam desenhar na aula. Vai ver, eles sabiam que ajudava na minha concentração.

Ou deve ter sido porque meu sobrenome é Rabisco.

O professor Brendall disse que a gente ia brincar de Desaparecido, já que a gente tinha se conhecido na aula da professora Whittam.

O Jake era o primeiro detetive. Ele saiu da sala.

Depois, o professor Brendall escolheu alguém pra ser o desaparecido. Ele chamou a Zoey e ela se escondeu.

Na brincadeira, todos os outros alunos mudam de carteira. O detetive volta e tenta adivinhar quem está faltando. Ele tem três tentativas.

E, então, a pessoa desaparecida (Zoey) aparece, todos riem, e o detetive escolhe outro detetive pra sair da sala. A pessoa desaparecida também escolhe alguém pra ficar no seu lugar e a brincadeira continua.

A gente brincou algumas vezes. A Mo me escolheu pra ser detetive, e eu me senti menos excluída. Mas eu errei nas três tentativas, porque não reconheci quase ninguém da sala. Se eles virassem de costas, tenho quase certeza de que eu ia identificar todos eles!

Gostei da brincadeira, mesmo eu não sendo boa.

No fim da aula...

No fim do dia, todos foram embora, e eu não sabia se ficava feliz porque a aula tinha acabado ou se desejava que tivesse durado mais.

Demorei, mas lembrei.

Ah, ótimo. A Mamãe Noel é uma recepção TÃO calorosa depois de um dia daqueles. Principalmente com uma faca de plástico na mão. Acho que a vela de mentira não era assustadora o bastante pro Josh.

Eu tinha que dar o troco de algum jeito.

A Lisa atendeu.

A Lisa falou que se eu não lavasse a louça LOGO, ia ter que limpar o banheiro também. Grrr. Viu? Eu sou um mero peão!

As pessoas me mudam de casa e de escola sem nem pensar em como eu me sinto.

As pessoas me empurram pelos corredores.

Elas querem que eu faça todo o trabalho, e se eu falar alguma coisa, sou punida com MAIS trabalho.

Finalmente, terminei.

Fazendo a mala pra ir pra casa da Luci:

Eu não conheço a Luci. Ela sentou atrás de mim na aula do professor Brendall e a gente só conversou uma vez, quando eu dei uma folha pra ela. Então, o que levar pra casa dela? Decidi levar tudo:

- ☐ dois livros da biblioteca
- ☐ papel, lápis de cor, canetinhas
- ☐ acessórios de trilha: garrafa de água, bandana, livro de pegadas de animais
- ☐ meus CDs preferidos
- ☐ este diário

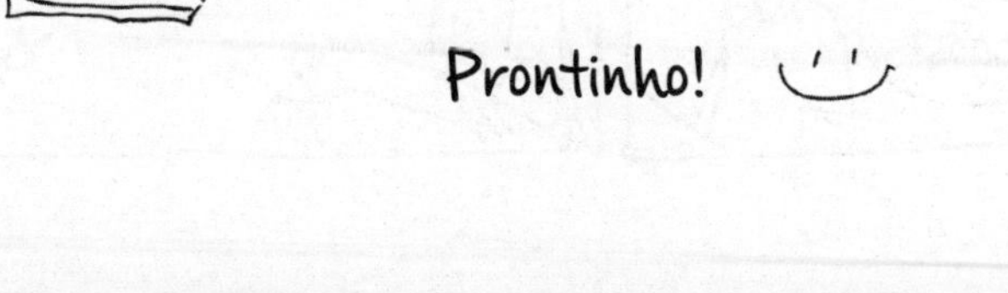

Prontinho! ◡̈

Pode entrar!
Oi, Luci!
Quer ver TV?
Quero.
Você gosta de ler?
Não.
Gosta de fazer trilha?
Não.
Quer desenhar?
Não.
É chato.
Vou buscar meu jogo.
Legal!
Adoro jogos!
Já volto.

Pronto.
Que legal!
Bip
Bip
Bip
Bip
Bip
Já deve estar quase na minha vez...
Bip
Bip
Bip
Bip
Bip
Bip
Bip
Bip
Bip
Bip
Bip
Eu nunca tinha ficado tão incrivelmente entediada em toda a minha vida.
Bip
Bip
Bip
Hum, preciso ir.
Tá certo, a gente se vê amanhã.
Bip
Bip
Por que você não vem pra cá amanhã de novo? Foi divertido!
Pode ser...

Eu fui correndo
pra casa
e vi...
Todas as minhas meias amarradas!
Alguém
(provavelmente
o Josh) fez uma corda com
todas as minhas meias e
pendurou na frente da nossa
casa. Aahhh!

JOSH!
Sim?
Você amarrou todas as minhas meias!
Não fui eu.
Foi você, sim!
Não fui.
Foi!
Não.
Foi!
Não.
FOI SIM!
Eu não amarrei TODAS as suas meias. Você está usando DUAS delas. Além disso, você deixou três meias fedorentas pra lavar.

Era a cara dele fazer isso. Ele prega peças em mim desde que eu usava fraldas:

Eu não sabia se queria dar o troco ou ficar do lado dele.

Jantar. Eu decidi dar o troco. Inesperadamente, toda a família participou.

O Josh não guarda rancor. Ele acha todas as brincadeiras engraçadas, até as peças que a gente prega nele. Ele me ajudou a lavar a louça e disse que era pra gente poder sair mais cedo pra brincar com os vizinhos. Mas acho que era pra ele poder me pedir um favor depois.

Como Brincar de Fantasma no Cemitério

Escolha alguém pra ser o fantasma. Os outros serão as vítimas.
As vítimas ficam no pique (a zona neutra). No nosso caso, o pique é a árvore gigante.
O fantasma se esconde enquanto as vítimas ficam de olhos fechados e contam as horas devagar, até meia-noite:

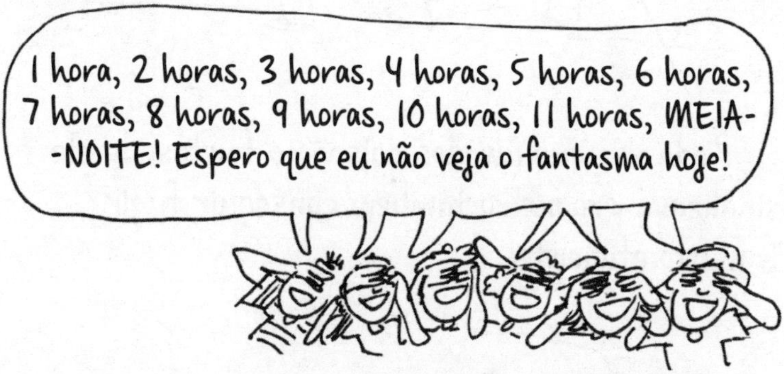

As vítimas procuram o fantasma. Se uma vítima encontrar o fantasma, ela sai correndo e grita:

O fantasma persegue todas as vítimas, que precisam voltar para o pique. Se o fantasma pegar uma vítima, ela será o fantasma na rodada seguinte.

Eu e o Travis descobrimos um jeito de trabalhar em equipe pra não sermos pegos. A gente ficou de costas um pro outro, pra que cada um pudesse ver metade do quintal.

Toda vez que um dos dois via o fantasma, ele sinalizava pro outro também conseguir fugir.
É muito eficiente.

Mas os outros logo descobriram o que a gente estava fazendo e vieram atrás da gente.

Foi muito divertido. Eu não parava de gritar e dar risada. Notícia boa: conheci mais crianças.

Notícia ruim: com exceção do Travis, nenhuma delas é da minha sala.

O Travis me contou uma piada muito engraçada enquanto eu estava bebendo água, e eu derramei tudo em mim. (E nele também. Desculpe, Travis, mas a culpa foi sua!)

Eu contei a minha melhor piada, a Arlene contou a dela e a gente começou a rir de tudo.

> Acho que uma piada tem mais graça quando:
>
> 1) você gosta da pessoa que está contando, e
> 2) você já está rindo.

Que saco. Hora de ir pra casa. Eu sabia que era bom demais pra ser verdade.

Tentando lembrar todas as piadas do Travis e da Arlene:

– Toc, toc!
– Quem é?
– Noé.
– Que Noé?
– "Noé" da sua conta!

– Toc, toc!
– Quem é?
– A vaca inconveniente.
– Que va...
– Muuuu!

– Toc, toc!
– Quem é?
– Batata.
– Batata quem?
– Quente, quente, quente...

– Toc, toc!
– Quem é?
– Repete.
– Repete quem?
– Quem, quem, quem.

O que nasce do cruzamento de um feijão com uma cebola?
Gás lacrimogênio.

– Toc, toc!
– Quem é?
– É o Feliz!
– Que Feliz?
– Feliz Natal!

– Toc, toc!
– Quem é?
– O quê.
– O que quem?
– Uma pergunta de cada vez, por favor!

Por que o bombeiro não gosta de andar?
Porque ele socorre.

O que o tijolo falou pro outro?
Há um ciumento entre nós.

– Toc, toc!
– Quem é?
– Eu amo.
– Eu amo quem?
– Não sei, conta pra mim?

O que dá o cruzamento de pão, queijo e um macaco?
X-panzé.

O que a minhoca disse pro minhoco?
Você minhouquece.

No segundo dia de aula, eu fui de vestido. Todas as outras meninas foram de CALÇA. Não tinha jeito.

A professora Whittam ainda me chamava de Ella.

E ainda era difícil de saber o nome dos outros. Não era culpa minha. Eles tinham nomes demais, principalmente os meninos!

David: os professores o chamam de Dave

Louise: também conhecida como Lulu

Ed Sparrow: conhecido como Papagaio ou Pardal

Na aula, a gente falou sobre protestos pacíficos, já que o nome da escola era Martin Luther King Jr. Eu é que deveria fazer protestos pacíficos contra pessoas que erram meu nome, contra a minha mudança pra essa cidade e contra vestidos.

Uma coisa boa: a gente se organizou em grupos. Eu fiquei no da Mo, do Travis e do menino que arremessa cachorros-quentes. Outra coisa boa: em dois dias, vamos começar a patrulha de segurança. Na minha antiga escola, a gente podia se voluntariar. A escola onde ninguém usava vestido.

A aula de Artes deveria ser divertida, não é? Só que não.

A professora é simplesmente bizarra.

E também muito exigente.

Ela disse que a gente nunca vai poder usar tinta preta em nossos trabalhos.

Ela deve ser uma péssima artista.

E ela tem bafo.

A professora Trebuchet* deu a primeira tarefa: encontrar uma textura na sala e desenhar de perto. Quase todos os alunos desenharam os detalhes do chão ou do teto, ou os ventiladores ou as venezianas. Eu usei a licença artística e desenhei a cauda da Ofélia.

*pronúncia: Tre-bu-chê

Eu adorei meu desenho. Eu ♡ a Ofélia.

Eu tentei defender a minha arte. Acho que ela nunca tinha visto um rato antes. Talvez eu devesse trazer a Ofélia na aula pra provar que meu trabalho ficou bom.

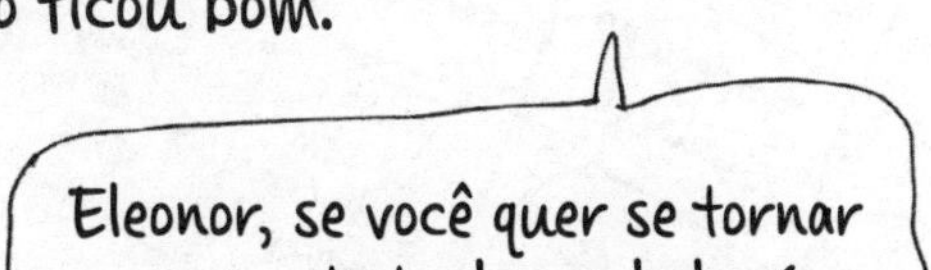

Por falar em regras, eu lembrei que não tinha seguido o procedimento matinal na aula da professora Whittam, então acho que não vou almoçar hoje. Pedi pra ir até a sala da diretora pra reservar um almoço.

Assim que saí da sala, criei um símbolo novo:
♡ é o oposto de amar.
Eu ♡ a aula de Artes. Eu ♡ a professora Trebuchet.

No corredor, encontrei isto:

Ai, que dor
de estômago.
Eu ♡ essa escola.
Eu ♡ todos daqui.

Hora do almoço. A Mo me puxou pelo ombro e me colocou na frente dela na fila. Eu tentei sorrir, mas eu estava tentando não ter uma crise de choro. Eu mostrei a cartela de bingo pra ela.

Eu limpei uma lágrima e alguém gritou "Bingo!".

Nada que alguém dissesse naquela hora ia me confortar. Eles não podiam evitar. Quanta coisa errada em um só lugar. Eu queria ir pra casa, mas a minha casa de verdade, não essa casa horrível.

No recreio, eu só queria ficar sozinha, mas a Mo e o Travis não deixaram. Foi meio chato. Eles deveriam ter ido jogar futebol com os outros alunos, mas preferiram ficar comigo.

À tarde, eu tentei não fazer nada do que estava escrito na cartela de bingo. Na aula de Matemática, a Mo fez uma dobradura da sorte que abre e fecha:

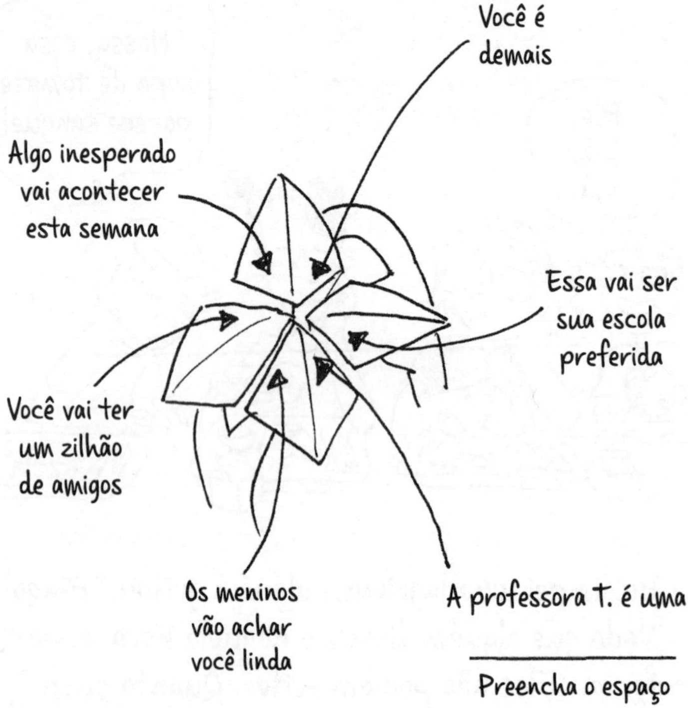

Era bobinho, mas achei legal a dobradura que ela fez. Então, eu fiz um piano pra ela. Origami conta como exercício de Matemática, não é? Mais ou menos?

Como fazer uma dobradura da sorte que abre e fecha

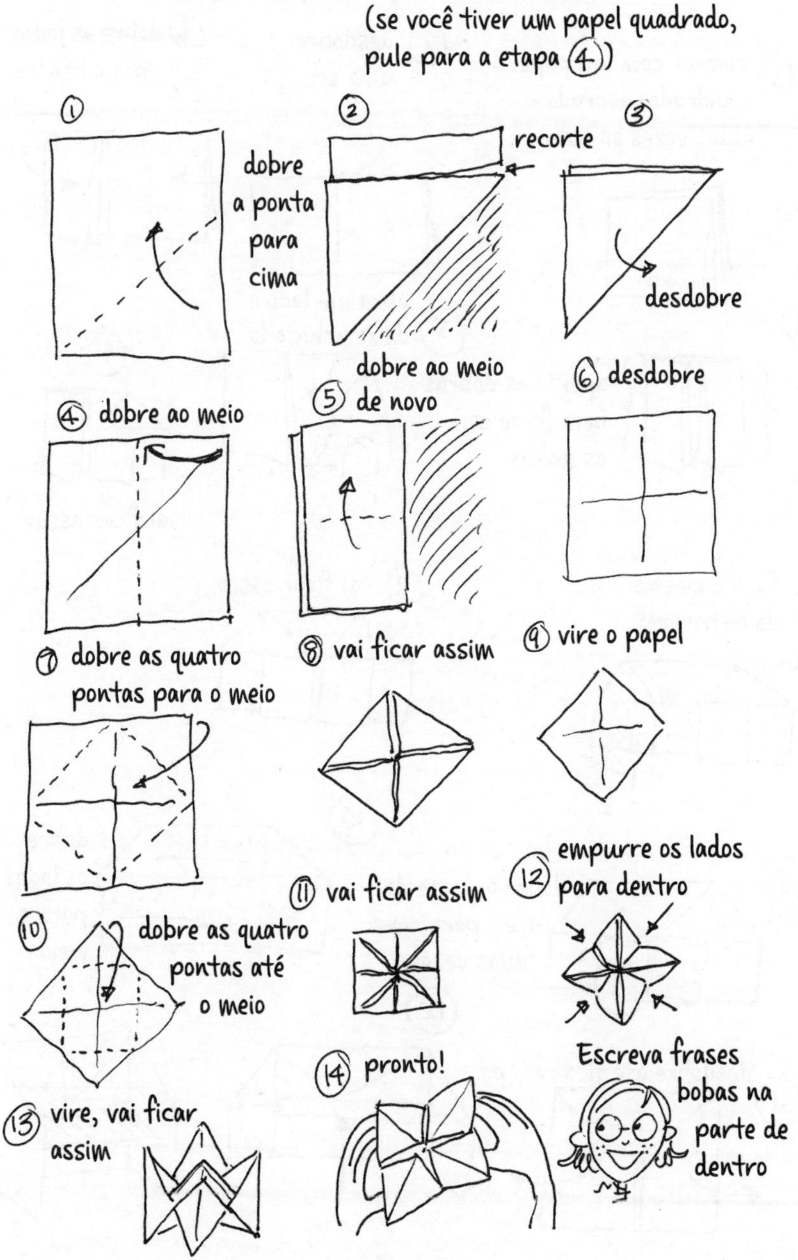

Como fazer um piano de origami

Voltando pra casa, eu não sabia o que estava sentindo. Até que eu gostava de algumas coisas na escola. Outras, eu ♡ muito.

Queria saber o que meus velhos amigos estão fazendo agora. Será que estão com saudade de mim? Acho que vou escrever no diário coletivo hoje. Eu sempre esqueço. Mas não quero escrever coisas tristes. Vou esperar até que alguma coisa boa aconteça.

Decidi passar na biblioteca pra ver a senhora Claire. Oh, que horrível...

Eu disse "oi" e inventei uma desculpa pra ir embora logo.

Em casa, entrei na cozinha pra fazer um lanchinho...

Ahn-ahn. Parece que meu pai encontrou a Mamãe Noel.

Melhor eu dar o fora daqui.

Carácolis! O Josh passou por aqui. Até meus pôsteres estão de ponta-cabeça.
Ainda bem que a Mo me chamou pra jantar na casa dela.

A família da Mo parece muito gentil.

O pai dela trabalha no posto de gasolina da esquina e sempre leva salgadinhos que vão vencer pra casa. A Mo me deu um saco enorme de batatinhas pra eu levar pra minha família. Até que elas eram gostosas. Acho que o Josh vai querer comer o saco inteiro hoje. A Daiana, irmã da Mo, tem 5 anos e é linda. O Thomas tem 14 anos e tem síndrome de Down. A mãe da Mo parece ser uma pessoa bem calma (ao contrário da minha mãe!).

O Lunar, o cachorro, é bem grande e assustador, mas a Mo falou que ele é um fofo.

Eu me senti muito bem. A Mo e eu estávamos ouvindo música. O Thomas queria ficar com a gente. Tudo bem, até que...

Eu não queria. De verdade mesmo, eu não queria. Mas como eu ia dizer não?

Eu já li centenas de livros e nenhum deles me ensinou o que fazer em situações como essa.

No jantar, o Thomas se sentou perto de mim, praticamente na minha cadeira. A Mo agiu como se isso fosse normal.

Eu tentei disfarçar o incômodo. Mais uma revelação: eu sou uma menina que gosta de ter seu espaço!

Eu ganhei um abraço bem apertado de despedida do Thomas e da Daiana.

A Mo foi comigo até a metade do caminho pra minha casa.

Uau. A Mo parece o tipo de menina que tem tudo o que quer. Eu nunca tinha percebido que a vida dela também tem coisas que não se encaixam. Ela se parece mais comigo do que eu imaginava. Mais um quebra-cabeça com peças demais!

Quando voltei pro meu quarteirão, as crianças da vizinhança estavam brincando de pique-bandeira. Eu guardei meu saco de batatinhas em um arbusto e fui brincar, basicamente pra ajudar a equipe do Travis a perder. Desculpem por isso!

Como brincar de pique-bandeira

Cada equipe esconde sua bandeira (discuta as regras: a distância da bandeira até o chão, a visibilidade da bandeira, etc.). Em seguida, cada um tem uma função:

Algumas crianças ficam de guarda. Os invasores entram no território inimigo pra procurar a outra bandeira. Os prisioneiros que forem capturados pelos guardas vão pra cadeia. Você não vai pra cadeia se estiver no território inimigo, a não ser que eles peguem você! E os guardas também tentam tirar a sua equipe de dentro do território inimigo sem serem pegos. A equipe que pegar primeiro a bandeira da outra vence!

Logo chegou a hora de entrar em casa.

O Josh ficou reclamando por causa da derrota. Eu dei um empurrão nele e, de repente, a gente estava brincando de luta.

Os gêmeos são os pés FEDORENTOS dele.

Eu fui em direção à minha arma secreta: a garrafa de água do Josh.

Mas, pro meu espanto...

... o Josh treinou o Ben-Ben pra ser a arma secreta DELE!

Eles acabaram com a minha estratégia. Foi bem divertido, mas eu não sabia se ia conseguir dar o troco no Josh. Ele sempre vence.

Boa noite.

Essa foi a cena do café da manhã do dia seguinte:

Enquanto isso, o Ben-Ben estava colocando cereal no nariz. Ele até descobriu um jeito de pendurar o cereal nas narinas. A minha família é muito talentosa.

Em meio à loucura, eu e a Ofélia dividíamos o cereal.

Ela é o antídoto perfeito contra pessoas loucas. E isso me deu uma ótima ideia.

Pensei rápido...

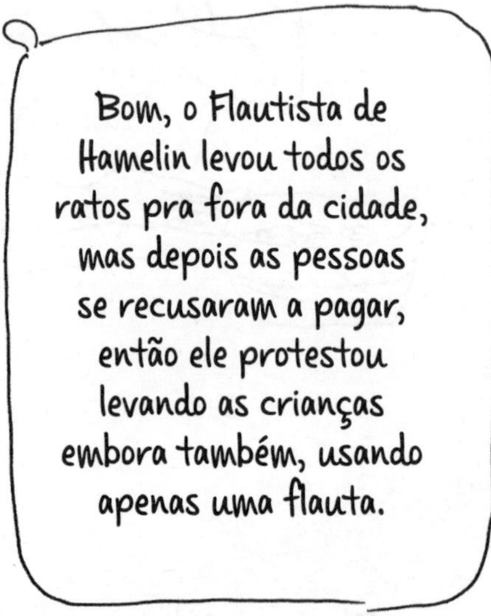

Ela disse:

— Ellie, você poderia ter trazido uma flauta.

É verdade, mas eu percebi uma coisa: a professora Whittam acertou o meu nome. Até que enfim!

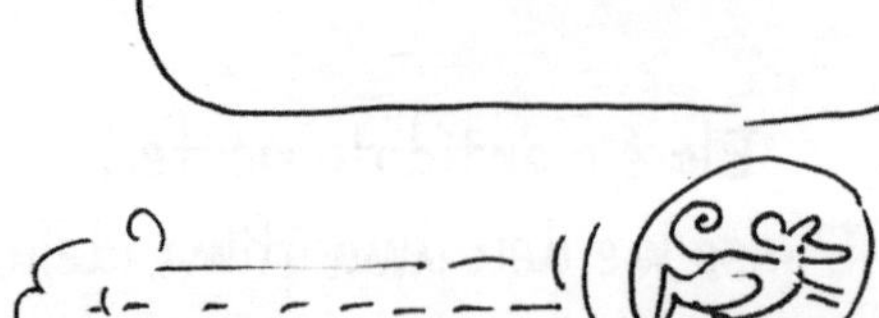

Infelizmente, nem todos acertam. Já me chamaram de:

Ellen

Ella

Eleanora

Elmo

Fedellie

Ollie

Carácolis. Meu nome nem é TÃO difícil de aprender. Aprendi uma coisa legal na calculadora na aula de Ortografia:

31773 = ELLIE

0.550 = OSSO

10 = OI

0.370 = ÓLEO

0.708 = BOLO

343434 = HEHEHE

A professora Whittam falou pra eu guardar a calculadora até a aula de Matemática. E este diário também.

Pelo menos, a Ofélia estava se divertindo. Ela ficou rolando pela sala na bolinha dela, batendo nas cadeiras, assustando as meninas, 343434.

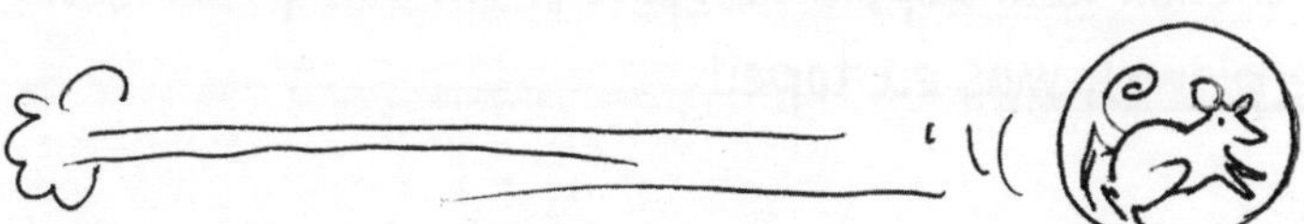

A gente ficou naquela fila enorme do almoço DE NOVO. A nossa sala é a última a almoçar (é por isso que demora tanto). Eu me sentei, a Mo também, e logo todos os alunos estavam sentados. Foi um protesto pacífico!

Mas aparentemente a gente estava se divertindo demais, porque uma das moças da cantina fez a gente se levantar. Grrr. Fiquei muito brava! Comecei a escrever uma carta pra diretora (uma carta educada). A Nikki disse que não adiantava tentar mudar o sistema, porque sempre foi assim. Mas eu disse que, se você não se esforça pra mudar alguma coisa, você merece o que tem.

A Nikki perguntou se eu e a Mo queríamos ir pra casa dela depois da aula. A Mo não podia (aula de piano), mas eu topei!

Na aula do professor Brendall, eu consegui demonstrar alguns truques da Ofélia.

Eu falei pro pessoal da sala que os ratos são como cachorrinhos. Com a comidinha, dá pra ensinar quase tudo pra eles.

Quando fiz esse truque, todos acharam nojento. A Nikki falou pra eu deixar minha ratinha em casa quando fosse pra casa dela.

A professora Trebuchet não gosta de ratos.

A professora Trebuchet não quer saber se a cauda da Ofélia se parece com o desenho que eu fiz ontem.

A professora Trebuchet é uma

Cafona,

Hipócrita e

Azeda que

Tenta

Atazanar minha vida.

Enquanto eu estava fora da sala pra levar a Ofélia de volta pra aula do professor Brendall, o Cody pegou meu lugar na aula de Artes, e eu tive que sentar na primeira fileira. Bleh.

Como pode a professora Trebuchet ser amiga da senhora Claire? Não faz sentido.

A professora T mostrou fotos da arte com flores da Georgia O'Keeffe. Eu gosto de aprender sobre outros artistas.

A Georgia O'Keeffe pintava flores bem de perto. E a gente teve que desenhar flores de perto. Mas a professora deu flores de verdade pra gente desenhar? Não. Ela deu flores de plástico como modelo? Não.

A professora T queria que a gente copiasse desenhos de flores de outros artistas. Isso não é arte. Deixar a professora com raiva não ia adiantar nada, então eu não reclamei. Mas eu não resisti e perguntei: "Qual o objetivo?". A Mo riu baixinho. Eu me segurei pra não rir.

A professora foi direta: os mestres aprendem copiando outros artistas.

Uau.

Eu não era a única que tinha levado alguma coisa pra aula.

Rachel, a "artista da escola", passou o verão inteiro criando um boneco que cospe fumaça. Eu admito, é bem legal. É pra algum concurso que a professora T mencionou pra classe no ano passado. Acho que não vou conseguir me inscrever, já que não sei nada sobre ele. Eu ♡ ser a aluna nova! Aposto que vou ficar com esse rótulo até o Ensino Médio.

Mas, depois da aula, a professora T me chamou.

Eu não sei o que desenhar. Tenho que fazer alguma coisa muito boa pra vencer. Vai ser difícil.

Em casa, eu analisei meu novo papel pra desenho.

Esse papel é muito caro. É tão suave, tão lindo. A professora Trebuchet disse que "a caneta flui no papel". O bloco tem 50 folhas, e isso significa que eu posso errar 49 vezes. Estou quase com medo do papel! Principalmente porque não tenho a mínima ideia do que desenhar. Vou pra casa da Nikki!

A casa da Nikki parecia um palácio por dentro. É difícil acreditar que algumas pessoas moram em lugares tão chiques.

Eles se sentam em tronos pra jantar!

A minha família não ia se dar bem com tanta riqueza.

#1 Como a gente ia brincar de "Não passe as batatas pro Josh" em uma mesa tão grande?

#2 A Lisa ia ser MAIS metida ainda.

Eu e a Nikki fomos pro quarto de brinquedos gigante dela.

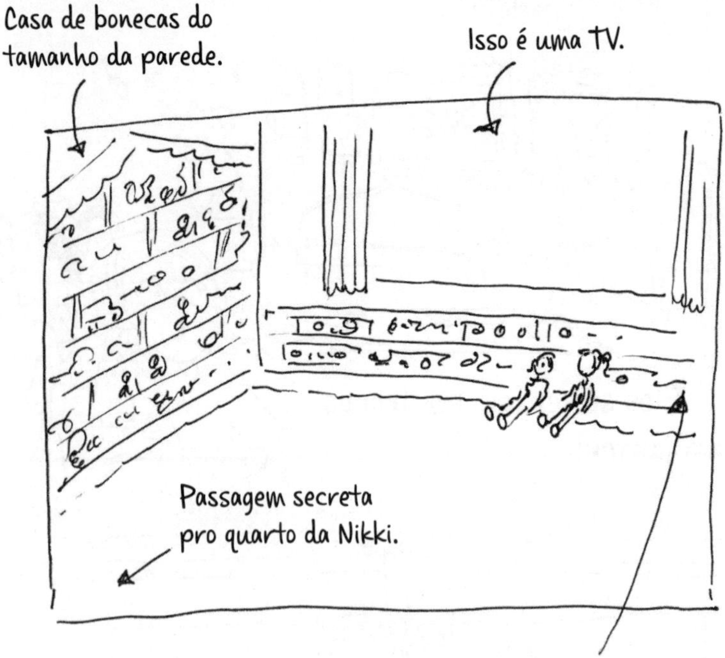

Eu poderia ficar aqui o dia inteiro lendo a coleção de quadrinhos dela.

Mas a Nikki ficou entediada e quis ir pro shopping.

A babá da Nikki arrumou o irmãozinho dela, o Wellington, e nos levou pro shopping. Ela falou que a gente tinha uma hora pra fazer compras.

Se algum dia eu ganhar um vale-compras, vou chamar a Nikki pra me ajudar a gastar. Ela tem talento pra isso.

De volta a minha casa pequena, bagunçada, mas nem um pouco chata, era hora do jantar.

De repente, o Josh enfiou o garfo no nariz e derrubou um monte de gosma verde na mesa.

Era só guacamole que ele tinha na mão. Não tinha nada de errado com o nariz dele.

O Ben-Ben adorou.

SEU NOJENTO!

Depois do jantar, eu tentei pensar em um desenho pro concurso de arte. Eu podia fazer um minicaderno de desenhos ou um jogo de tabuleiro. Mas não havia tempo pra nada muito elaborado.

Eu nunca tinha me sentido tão paralisada e tão sem criatividade.

Olhar pra página em branco só piorou as coisas. Eu não podia contar pra professora Trebuchet. Ela acreditava que eu ia fazer algo "marravilhoso".

Eu me torturei por duas horas e fui pra cama. Eu tinha que chegar mais cedo na escola pra patrulha de segurança.

Regras da Patrulha de Segurança:

1) Usar o uniforme cor-de-laranja fluorescente de plástico.
2) Prestar atenção quando estiver em serviço.
3) Manter as crianças a salvo no trânsito.
4) Não deixar ninguém entrar na escola mais cedo.

Tive que ficar de guarda na entrada da pré-escola com a Glenda.

1) O uniforme brilha no escuro. Suuuperfashion.
2) Prestar atenção quer dizer que eu tenho que ouvir o que a Glenda diz? Ela fala DEMAIS.
3) Esse trabalho é inútil. Não tem carro nenhum aqui. Eu duvido que os alunos cheguem correndo pra entrar primeiro na escola. É mais fácil eles SAÍREM correndo da escola.

O mestre mandou...
Vocês conseguem bater na cabeça e esfregar a barriga ao mesmo tempo?
TRRRIIIIIMMMM
Hora de fazer fila! Não empurrem! Sejam bonzinhos! E tenham um dia maravilindo!
Foi muito legal!
Eba!

A gente tinha acabado de entrar na aula da professora Whittam quando a diretora, a senhora Pingo, entrou pra falar sobre a minha carta.

A senhora Pingo diz um monte de coisa inútil quando fala. Mesmo assim, se isso for ajudar a gente a almoçar na hora certa, acho que o constrangimento valeu a pena.

A solução da senhora Pingo:

Nossa sala vai sair primeiro para almoçar. A gente ficou contente. O problema foi resolvido.

Mas os alunos da OUTRA sala do sétimo ano ficaram bravos, porque agora ELES eram os últimos da fila.

Eu ficaria feliz de pegar meu almoço e comer, mas não. Acabei me enrolando mais ainda. Carácolis.

Tá certo. Plano B. Contar pra senhora Pingo que mudar a ordem das salas do sétimo ano não é uma solução aceitável.

> Cara senhora Pingo,
>
> Depois do almoço de hoje, está claro que a solução de trocar a ordem das salas no almoço não resolve o problema. Quando a minha classe era a última, ninguém estava bravo comigo. Agora, eles estão. E se a minha classe ficasse por último e a fila andasse mais rápido?
>
> Cordialmente,
> Ellie Rabisco

Pronto. Acho que isso vai resolver.

À tarde, a gente jogou cálculos rápidos, uma brincadeira patenteada pelo professor Brendall. Ele falava um monte de contas seguidas e a gente calculava na hora. O primeiro que acertasse a resposta ganhava um lanche da cantina.

Nada de lanche de graça pra mim. Não estou surpresa.

Depois da aula, fui pra casa da Mo. A gente estava matando tempo, mudando a letra das músicas, e o Thomas entrou no quarto.

Antes de voltar pra casa, eu desenhei bonecos parecidos com o Thomas e a Daiana pra eles recortarem.

Depois, eu corri pra casa porque de repente TIVE UMA IDEIA PRO MEU PROJETO DE ARTES!

Mas eu ia precisar de ajuda...

Às vezes, a Lisa não colabora. Por sorte, ela estava bem prestativa. Além disso, ela respeita a arte, então ela até topou me levar pra loja de artes...

E ela ainda fez o balconista ajudar a gente a colocar as coisas no carro. Eu fiquei no carro desenhando meu projeto, enquanto ela passou meia hora flertando com o balconista. (Peter, 18 anos, gosta de pintar e tem obras expostas em uma galeria da cidade. A inauguração é amanhã à noite e ele convidou a gente pra ir.)

Depois, eu me tranquei no quarto e comecei a criação.

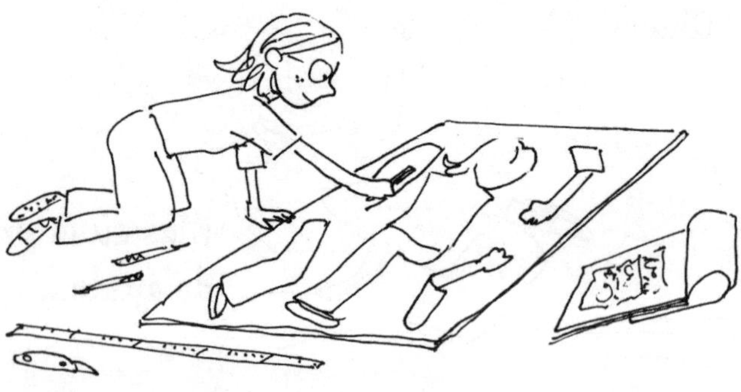

A primeira coisa que fiz no outro dia foi levar meu projeto pra escola.

O bloco de desenhos de espuma tem desenhos da minha casa nova, da floresta, dos meus amigos, da minha família e da escola (tudo inspirado neste diário). Na minha camiseta de espuma, está escrito: "Os artistas do mundo desenham por inspiração... e para inspirar".

Depois, fui me encontrar com a Glenda na porta da pré-escola. Eu estava tão feliz por ter acabado meu projeto que nem liguei pro falatório dela.

Na aula da professora Whittam, praticamos escrita criativa. A primeira tarefa era escrever uma carta pro editor de um jornal sobre algum assunto histórico interessante, como boicotes e leis de segregação. Ela disse que era um tipo de protesto pacífico. A gente não enviou as cartas, mas todos colocaram o endereço nos envelopes.

E, então, ela piscou pra mim.

Hora do almoço:

A senhora Pingo deve ter recebido a minha carta, porque a minha classe era a última da fila de novo. Tentei ver o lado positivo de tudo isso.

A gente tentou fazer uma ola. Nada dava certo. Comecei a pensar na piscadinha da professora Whittam. A gente só tinha uma opção: agir. Inventei um grito de guerra:

Acreditem, bravos: covardes destroem-se eternamente. Fato: Gandhi honrou intensas jornadas lutando muito, nunca omitiu-se. Possíveis questões realmente surgirão. Todos unidos, vitoriosos, xenófilos, zafimeiros.

Tá legal, é comprido demais pra um grito de guerra. Mas vai dar certo como nosso manifesto pacífico. Agora, a gente só precisa descobrir o que fazer e depois fazer. Zafimeiros? São pessoas espertas, astutas. Preciso de uma palavra melhor com Z.

Na aula do professor Brendall, eu estava obcecada por filas de almoço.

Matemática:

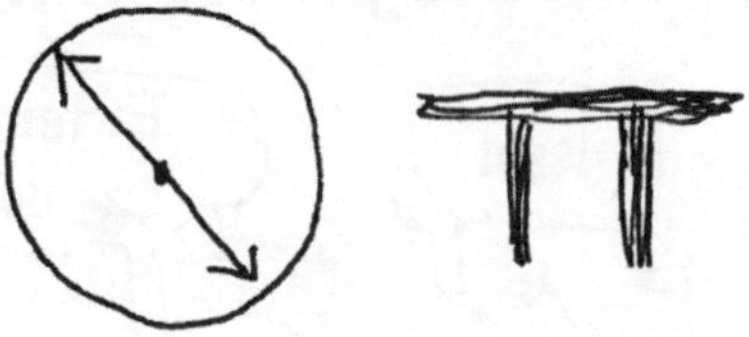

Pi: número irracional, infinito, a razão entre a circunferência de um círculo e seu diâmetro.

Torta: sobremesa que a gente nunca come porque não dá tempo. Servida em uma fila irracionalmente grande e infinita que circula a sala.

Mais Matemática:

A gente converteu pés em centímetros.

Pergunta: se uma fila tem 55 alunos e cada um tem dois pés, quantos centímetros tem a fila?

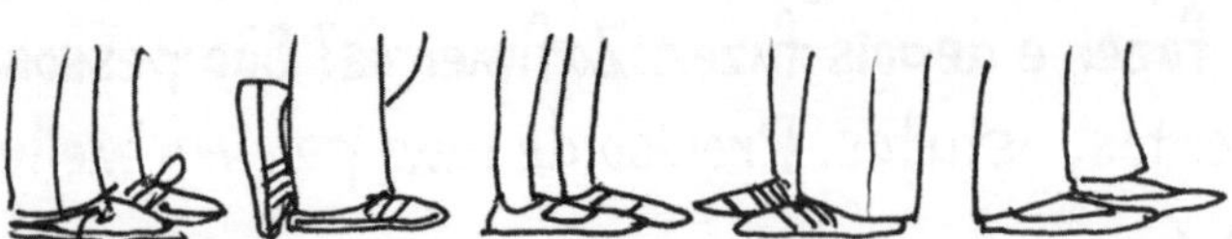

Ciências:

Observação detalhada: filas de almoço são muito grandes.

Cálculo dos dados: 55 crianças ao mesmo tempo na fila.

Análise dos dados: 30 crianças têm pouco tempo de almoço.

Gráfico:

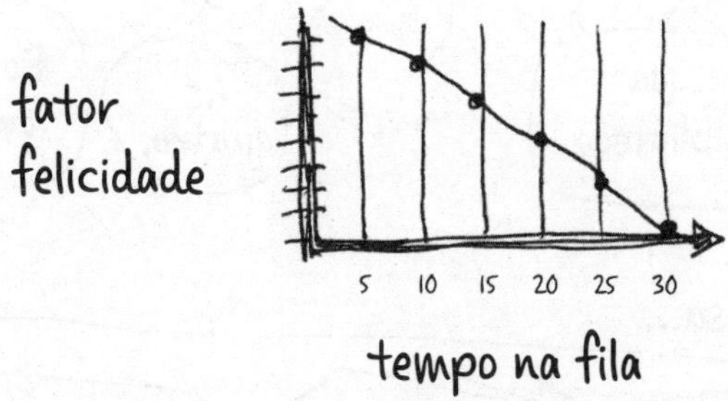

Modelo de previsão: filas grandes durante o resto do ano, se os alunos não fizerem alguma coisa pra mudar essa situação.

Hipótese de teste: segunda-feira. Temos dois dias pra criar um plano.

Avaliar como os dados se encaixam: estômagos vazios contra estômagos cheios?

Comunicar as descobertas: já tentei duas cartas para a diretora. Próxima: uma carta para o editor do jornal?

No corredor, eu chamei a Mo, o Travis e a Glenda.

Em casa...

Grrr.

A gente tinha que se concentrar. Tempestade de ideias.

Nossa página de ideias:

Eu disse:

Ah, é fácil de ler, mas a gente teria que explicar para os outros o que significa.

O Travis argumentou:

A ideia é visibilidade e facilidade de produção.

E todos falamos:

O quê?

O Travis tem cérebro de engenheiro. Ele tem razão. Esse símbolo é fácil pra produzir em massa. A gente vai estar ocupado o fim de semana todo, mas temos um plano e cada um tem sua função. Estamos muito animados e vamos nos encontrar aqui na biblioteca amanhã às dez da manhã. E agora, vou pra galeria de arte!

A GALERIA DE ARTE

A Rachel estava lá! Fomos dar uma volta porque a Lisa ficou me ignorando (estava ocupada demais flertando com o Peter).

Também estavam lá:

O professor Brendall!

Uma mulher que parecia um modelo.

Nossa! Quanta arte estranha.

A professora T também.

Tinha muita coisa bonita também. As obras do Peter:

Ele explicou pra gente a filosofia de arte dele. Eu não entendi quase nada, mas acho que ele disse que a arte deveria ser valorizada e não comparada, porque nenhum juiz é totalmente justo e imparcial. Tá legal, mas eu AINDA espero que a minha Ellie de espuma vença o concurso de arte!

Uma coisa que aprendi essa noite: existe espaço pra todo tipo de arte no mundo. Inclusive para os meus desenhos.

De volta pra casa...
AAI!
A Mamãe Noel, cortesia da Lisa e do Josh, que estão fazendo uma maratona de café: 100 xícaras de café em uma noite. Eu acho uma besteira. Eu ♡ café.
Ei, Ellie, vamos discutir a seguinte frase: "Esta frase é falsa."
Tim-tim!

Sábado de manhã:

Carácolis. Eu deveria ter adivinhado.

A gente tem muito o que fazer em dois dias!
É tanta coisa pra resolver:

1) Como divulgar pro maior número possível de pessoas?
2) Quais professores vão ajudar?
3) Qual o melhor jeito de mostrar o símbolo?
4) Como vamos fazer adesivos?
5) Quem mais poderia ajudar no planejamento?

(Luci! Ela sabe tudo de informática. E a Rachel!)

Quanto mais a gente faz, mais eu gosto do símbolo.

É simples e fácil de copiar.

Coisas que estou aprendendo:

Aquele dicionário gigante da biblioteca é um dicionário completo, ou seja, tem quase todas as palavras que existem. Não dá pra levar pra casa, mas a gente pegou estes aqui.

Carrinho do Ben-Ben.

Estou ocupada demais pra desenhar o que a gente está fazendo, mas temos uma lista enorme e parece que as funções estão bem divididas: desenhar, imprimir, pintar. Vai demorar o fim de semana todo.

Truques que a gente aprendeu:

Com uma folha de etiquetas, dá pra fazer 9 9 impressões do nosso logo! Cortando em três partes, a gente já tem um monte de miniadesivos pra distribuir.

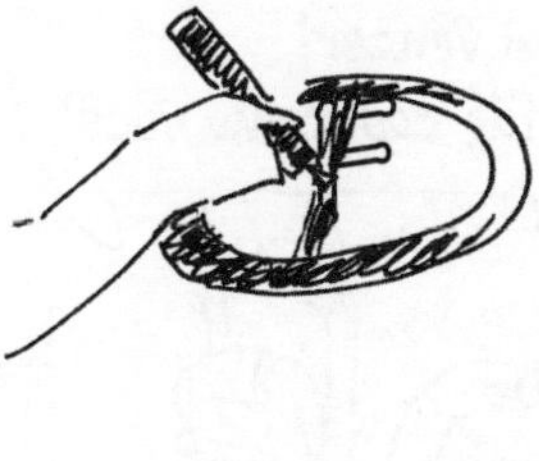

Caneta permanente + estênceis de papelão + muitas camisetas baratas = nosso uniforme.

A gente fez uma pausa na hora do almoço e foi comer pizza na casa da Nikki. À noite, comemos tacos. Acho que tenho os melhores amigos do mundo! Ouviu isso? Amigos.

Segunda de manhã.

O grande dia!
Acordei cedo.

Depois, eles fizeram até um viva pra mim:

Eu morri de rir.

A gente posou pra várias fotos.

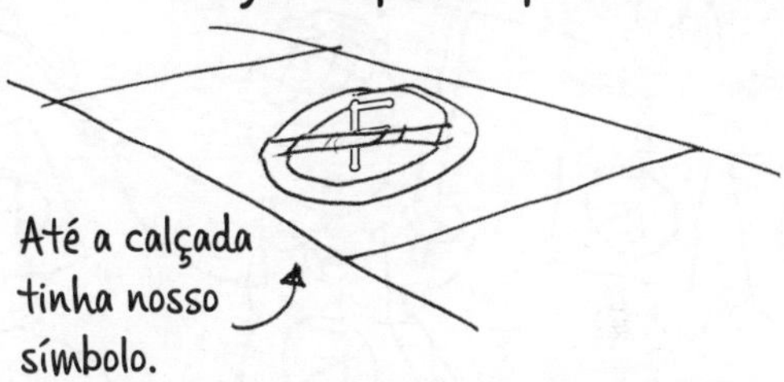

Eu e o Travis usamos a técnica do fantasma no cemitério pra ver se chegava algum professor, enquanto a Mo e a Glenda penduravam faixas.

A gente encheu os corredores e portas com o símbolo.

A Mamãe Noel ficou em destaque na porta da cantina:

E, então, fomos descobertos.

O professor Brendall e a professora Whittam podiam falar pra gente parar...

MAS NÃO FALARAM!!!

Pelo contrário, eles ajudaram a gente a pendurar a corrente de meias e a colocar nossos manifestantes de espuma em fila.

Depois, eu e a Glenda fomos correndo até nossos postos de segurança, porque as crianças estavam chegando.

A gente tinha milhares de miniadesivos.

E o nosso grupo distribuiu em todas as entradas!

E as crianças adoraram!

Foi muito legal ver TODOS os alunos usando nossos adesivos!

Quando a Mo, o Travis, a Rachel, a Nikki, a Luci e eu entramos na nossa sala, todos os alunos aplaudiram a gente de pé. E a professora Whittam nem reclamou. Foi demais!

Na hora de fazer o juramento à bandeira, os alunos acrescentaram algumas palavras no final: "com liberdade e justiça e FILAS MENORES NO ALMOÇO para todos".

Todos os alunos da minha sala caíram na gargalhada, e a gente também ouviu algumas risadas do pessoal das outras salas.

A professora Whittam levantou uma sobrancelha pra mim e começou a aula. Por coincidência, a aula foi sobre protestos pacíficos, e sobre como as pessoas se comportam de maneira diferente em grupo e sozinhas. Foi o plano de aula perfeito pra hoje. Eu poderia ter dado um abraço nela.

Foi quando os visitantes chegaram...

Carácolis! Era o Canal 10! Da TELEVISÃO!
O nosso protesto vai passar na TV?

Na hora do almoço, a gente já tinha se acostumado com os repórteres na escola. A senhora Pingo tentou levar os nossos "ilustres convidados" pro começo da fila, mas eles se recusaram e disseram que queriam comer com os alunos que estavam no fim da fila. Então, eles viram os livros enormes que a Glenda distribuiu quando a nossa sala chegou pra almoçar.

A fila estava enorme e muito lenta, então tínhamos bastante tempo pra ler... ou falar sobre o problema das filas grandes na hora do almoço.

Meia hora depois, a gente conseguiu pegar a comida...

A gente estava no auge do nosso protesto. Dissemos a coisa certa na hora certa.

Eles tiraram fotos das placas, da bandeira, de tudo!

E todos fomos entrevistados ao vivo! Meu pai estava trabalhando, viu a gente no noticiário e correu pra escola. Outros pais de alunos também fizeram o mesmo.

Acho que a cidade inteira estava lá.

Eles falaram nossos nomes no ar... Ellie Rabisco, Travis Owen, Mo Reilly... A gente estava famoso!

Até a senhora Pingo estava usando um adesivo.

Bom, é isso. A gente ia dizer adeus às filas grandes e talvez ao arremesso de cachorros-quentes e almôndegas petrificadas. Os repórteres já tinham ido embora e meu pai já tinha levado todos os bonecos de espuma e as faixas pra casa. Mesmo assim, parecia estranho ir pra casa sem fazer nada. Então, a gente decidiu comemorar a nossa vitória! Na biblioteca? Não dá, é proibido comer lá. Na casa de alguém? A Luci disse que ninguém conhecia a minha casa ainda, então todos quiseram ir pra lá. Glup.

Eu falei pra eles que, na minha casa, tudo pode acontecer.

Eles viram um bom exemplo do que eu disse na entrada da minha casa.
O Josh passou por aqui. Aff. Estou nervosa, não quero entrar.

A casa estava toda enfeitada!
Já estava na hora de vocês chegarem pra festa da vitória!
Entrem! Todos vocês!

Até a senhora Claire passou aqui em casa. Então, eu percebi que eu estava comemorando mais do que o sucesso da hora do almoço na escola. Eu estava comemorando coisas que perdi e encontrei. Perdi: toda a tristeza e a preocupação das últimas semanas. Encontrei: a amizade. Minutos antes de todos irem embora, o Ben-Ben trouxe a última surpresa.

Todos se assustaram!

Depois da festa, eu finalmente consegui escrever no diário coletivo. Eu tinha muita coisa pra desenhar antes de devolver para os meus velhos amigos.

Preciso de mais um diário! Esse não é o fim... é só o começo.

Dicas da aluna nova

Se você é um aluno novo, ou está em um lugar novo, leia algumas dicas da Ellie para ajudar você a se sentir melhor.

Use roupas confortáveis que você adora. Se você estiver com a sua camiseta preferida, você vai se sentir mais confiante.

Leve algo especial que faça você se lembrar dos bons tempos, como seu lápis preferido, uma pedra em forma de coração (a Ellie já encontrou várias) ou uma moedinha da sorte.

Tenha um objetivo e tente alcançá-lo. Sorrir para dez pessoas. Ou cumprimentar cinco pessoas novas. Quando você alcançar seu objetivo, sorria mais ainda: logo, você terá amigos novos!

Você está nervoso? Normal. Respire fundo e acredite que as coisas vão dar certo.

Muito nervoso? Tente fazer a respiração da ioga: inspire por quatro segundos, segure a respiração por quatro segundos, expire por quatro segundos, espere quatro segundos e comece de novo.

Seja aventureiro. Não fique esperando que a comida da escola vá ser igual à da sua casa. (Sabia que, se tampar o nariz, você não vai sentir o cheiro da comida e o gosto não vai ser tão ruim?)

Dica do Ben-Ben: se você imaginar que vai se divertir, é quase certo que você vai!

Um bom **diário** pode ajudar você a sobreviver a uma nova **escola**, um novo **animal de estimação**, um novo esporte **e muito mais!**

Leia toda a série!

Ciranda Cultural